Bruño

Dirige la Colección:
Trini Marull

Edición:
Cristina González

Producción:
Mar Morales

Traducción:
Rosa Pilar Blanco

Ilustraciones:
Birgit Rieger

Diseño de cubierta:
Miguel Ángel Parreño

Título original: *Hexe Lilli auf der Jagd nach dem verlorenen Schatz*
© Arena Verlag GmbH, Würzburg, 2003
© Grupo Editorial Bruño, S. L., 2003
   Maestro Alonso, 21
   28028 Madrid

AKS64000110
ISBN: 84-216-9262-3
Depósito legal: M-43555-2003
Impresión: HUERTAS, Industrias Gráficas, S. A.
Printed in Spain

KNISTER

KIKA Superbruja

en busca del tesoro

b Bruño

Al final de este libro
encontrarás dos estupendos
trucos selváticos.
Pero no seas impaciente
y... ¡espera a llegar
a la página 143!

9

Esta es Kika, la superbruja protagonista de nuestra historia. Tiene más o menos tu edad y parece una niña corriente y moliente. Bueno, en realidad lo es…, aunque no del todo. Y es que Kika posee algo muy poco común: ¡un libro de magia!

Una mañana, Kika encontró ese libro junto a su cama. ¿Que cómo llegó a parar allí? Ni idea.

Kika solo sabe dos cosas: que la atolondrada bruja Elviruja se lo dejó olvidado en un descuido, y que el libro contiene auténticos encantamientos y loquísimos trucos de bruja. Kika ya ha probado algunos. Pero ¡cuidado…!

Será mejor que no intentes imitar los conjuros de Kika, porque…

Si al leer una palabra te equivocas,
tu cepillo de dientes se convertirá en escoba;
tu profesora, en una monstrua abominable,
y el helado que te estás comiendo,
en un pepinillo en vinagre.

Por si acaso, Kika Superbruja no le ha hablado a nadie de su fantástico libro. Es, como si dijéramos, una bruja auténtica, pero secreta. Ha ocultado la existencia del libro de magia incluso a Dani, su hermano pequeño, y esto no le ha resultado nada fácil, pues Dani es muy, pero que muy curioso, y a veces hasta puede resultar algo plasta. Pero, a pesar de todo, Kika le adora.

Bueno… y a continuación, ¡sumérgete en el placer de la superlectura con las aventuras de Kika Superbruja!

Capítulo 1

Kika no puede apartar los ojos del libro que está leyendo. Devora las páginas a toda velocidad ¡y hasta se mordisquea las uñas, de la emoción!

El libro habla de Cristóbal Colón, el famosísimo navegante. Kika está fascinada con sus aventuras sobre búsquedas y descubrimientos de nuevas tierras...

Por lo visto, la reina de España encargó a Colón que encontrase una ruta marítima hasta las Indias a bordo de su nave, la *Santa María*. ¿Y qué fue lo que pasó? Pues que Colón decidió seguir su olfato de navegante y puso rumbo hacia poniente (que es lo mismo que decir hacia el oeste, pero queda mucho más marinero).

Así, Colón navegó, navegó y navegó…, hasta que un buen día descubrió un continente tan nuevo como gigantesco. Pero aquel continente no tenía nada que ver con las Indias, ni mucho menos.

¡Colón había descubierto América…, por pura casualidad!

Justo ahora, el libro de Kika cuenta cómo los nativos americanos, con sus exóticas ropas y adornos, dan la bienvenida a Cristóbal Colón tras su larguísimo y arriesgado viaje.

Kika se troncha de risa con esa parte del libro, ya que Colón está convencido de que ha desembarcado en las Indias, y claro, ¡saluda a aquellas gentes como si fueran indios!

Entusiasmada, Kika adopta el papel de Colón y, haciendo un majestuoso movi-

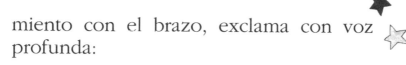

miento con el brazo, exclama con voz profunda:

—¡Os saludo, orgullosos indios! Vengo por encargo de mi reina, del también orgulloso reino de España. Mi nombre es...

—¡Kika!

Al oír su nombre, Kika se da la vuelta, sobresaltada. ¿Quién porras ha entrado de puntillas en su cuarto y, lo que es peor, sin llamar a la puerta?

¡Dani, por supuesto! ¡Ese microbio metomentodo!

Kika estaba tan enfrascada en la historia de Colón que ni siquiera ha oído llegar a su hermano pequeño.

—¡Un respeto, enano! ¡No me llamo Kika! ¡Me llamo Cristóbal Colón!

—¡Ahí va! ¿Y ese quién es? —pregunta Dani, olvidándose por completo del motivo que le ha llevado a la habitación de su hermana.

—Cristóbal Colón fue el mayor navegante de todos los tiempos. ¡Descubrió el Nuevo Mundo! —responde Kika.

—¿El Nuevo Mundo? ¿Y qué le pasó al Viejo Mundo? ¿Se jubiló, como el abuelo? —sigue preguntando Dani.

—¡No, hombre, no! Así es como llamaron a América sus descubridores: el Nuevo Mundo —le explica Kika, un poco harta de tanta pregunta—. ¡Y ahora lárgate y déjame en paz!

—¿Sus descubridores? —Dani sigue dando la tabarra—. ¿Y dónde estaba América antes de que la descubrieran? ¿Es que alguien la había escondido?

—¡No es eso! —resopla Kika, fastidiada—. Lo que pasa es que, como América estaba tan superlejísimos, al otro lado de un enorme océano, nadie sabía que existía.

De repente, Dani recuerda por qué ha ido a la habitación de su hermana mayor y dice:

—Lástima que tú no seas como ese Colín…

—¡Se llama Colón, no Colín, so bobo! —le corrige Kika—. Pero… ¿por qué dices que es una lástima?

—Pues por lo buen descubridor que era, ¿no? Es que… estoy buscando mi caballero de Lego, y quería preguntarte si tú sabes dónde está.

Kika resopla y pone los ojos en blanco. Dani sieeeempre está perdiendo sus juguetes, y no para de dar la lata hasta que le ayuda a encontrarlos. ¡Justo ahora, cuando el libro que estaba leyendo se ponía de lo más interesante!

—¿Y por qué no te ayudan a buscarlo papá o mamá? —le pregunta a su hermano pequeño.

—Pues porque han salido un momentito —responde Dani—. Por cierto: han dicho que me cuides hasta que ellos vuelvan.

Kika cierra el libro con un suspiro de resignación.

—Está bien… ¿Dónde viste tu caballero de Lego por última vez?

—En mi fortaleza medieval. Pero ya no está allí. ¡Alguien me lo ha robado! —protesta Dani.

Kika respira hondo, se levanta y va directa a la habitación de su hermano, con Dani pisándole los talones.

No hay duda: el caballero ha desaparecido de la fortaleza medieval.

—¿Cuándo jugaste con él por última vez? —pregunta Kika, poniendo cara de comisaria de la tele.

—Anoche, antes de que papá y mamá me mandasen a la cama.

Kika se exprime el cerebro. A ver, a ver...
¿Qué suele hacer uno antes de irse a la
cama? ¡Pues claro: lavarse los dientes!

Entonces se dirige al cuarto de baño con
paso decidido. ¿Y qué ve allí, junto a la
jabonera, al borde del lavabo? ¡El caballero de Lego! Y a su lado, el nuevo yoyó de
Dani. Es un yoyó chulísimo: cuando lo
haces bailar arriba y abajo suena un zumbido, y un montón de puntitos de luz empiezan a brillar formando círculos de todos los colores.

Está claro que Dani no lo ha echado en
falta aún, y eso es muy raro, porque no
hay forma de que se separe de él... ¡ni de
que se lo preste a su hermana!

«Ji, ji, ji... ¡Espera y verás!», se dice Kika.

Enseguida echa el guante al caballero y al
yoyó y los hace desaparecer en el bolsillo de su pantalón... ¡justo a tiempo de
que su hermano no la vea!

—¿Qué haces aquí? —pregunta Dani, que acaba de entrar en el baño.

—Puessss… Hago lo mismo que Cristóbal Colón: buscar siguiendo mi instinto de navegante. A lo mejor encuentro algo… Quizá un tesoro, o puede que tu caballero de Lego… —responde Kika, conteniendo una risita burlona—. Pero de momento, sin novedad por estas aguas, grumete.

—¿Grumete? —se extraña Dani—. ¿Qué es un grumete?

—Es… un marinero muy joven, que sirve de ayudante a la tripulación de un barco.

—¡Yo no soy tan joven! —protesta Dani—. ¡Ya hago pis solo desde hace mucho, como los hombres!

Kika se pregunta en voz alta:

—¿Cómo harían pis en el barco de Colón? No creo que allí hubiera baños… ¿Llevarían orinales?

Pero a Dani solo le interesa encontrar su caballero de Lego:

—¿Y si jugamos a que yo soy Colón? ¡A lo mejor así encuentro lo que busco!

—Mmmm… La verdad es que a Colón le encargó su búsqueda una mujer, ¡la mismísima reina en persona! —reflexiona

Kika—. ¡Muy bien, Dani: tú harás de Colón, y yo, de reina!

—¡Hecho! —exclama Dani, muy satisfecho.

—Eso sí: deberíamos empezar a buscar al estilo de Colón… —añade Kika.

—Pues claro. ¡Buscaremos al estilo de Colón! —Dani se dispone a salir disparado, pero de repente se vuelve hacia su hermana—: Ejem…, y eso ¿cómo se hace?

—Colón obedeció ciegamente las órdenes de su reina, sin discutirle nada y sin saber si tendría éxito en su arriesgada misión… —le explica Kika.

—¿Cómo? —Dani no entiende ni jota.

—Espera un momento —responde Kika, y se desliza fuera del baño.

Poco después vuelve con un pañuelo de mamá y le venda los ojos a su hermano.

—Vale, y ahora, ¿qué? —pregunta Dani, intrigado.

—Soy tu reina, y tienes que obedecerme «ciegamente», ¿está claro?

—¡Venga, dime de una vez lo que tengo que hacer, pesada! —exclama Dani, impaciente por jugar a ser Colón.

Kika le hace dar unas vueltas sobre sí mismo, le anuda el pañuelo con más fuerza y agita las manos delante de sus ojos hasta estar segura de que Dani no ve ni torta.

—Muy bien, ¡podemos empezar! —decide por fin—. Por orden de la reina, Colón emprendió una larga búsqueda. Su nave se hizo a la mar desde la costa del sur de España… —Kika agarra del brazo a su hermano pequeño y le obliga a dar una vuelta por el cuarto de baño. Se detiene junto al lavabo y, tras abrir el grifo, continúa—: Pasaron días, semanas y me-ses…, y la tierra firme española ya que-daba muy, muy lejos. Mar adentro solo se escuchaba el ruido de las furiosas olas…

—¡Uauuu, suena genial! —exclama Dani, encantado—. Sigue, sigue…, ¡es muy emocionante!

—Fue un viaje largo, larguísimo, hacia el oeste, y los víveres frescos se agotaron pronto…

Kika conduce a su hermano hasta la cocina y le obliga a dar dos vueltas alrededor de la mesa. Luego llena de sal una cucharilla de postre y continúa su relato:

—Como ya te he dicho, los víveres frescos se habían agotado, y por aquel entonces aún no existían las neveras. Así que llegó el momento de comer salazones, que son alimentos conservados en sal para que duren más tiempo. Bueno, no es que supieran muy bien que digamos, ¡pero comérselos era mejor que morirse de hambre! A ver, ¿quieres probar un poco?

Kika le acerca la cucharilla llena de sal a la boca, y Dani, confiado, se traga la cucharada enterita:

—¡Puaaajjjjj! —grita con cara de asco.

—Como comprenderás, tenemos que actuar de la forma más realista posible —replica Kika antes de que su hermano siga protestando—. Porque... quieres encontrar tu figura de Lego, ¿verdad?

—Vale, vale... —admite Dani, todavía con la lengua fuera—. ¿Y qué más?

—Así me gusta, ¡un chico valiente! Pareces un auténtico descubridor, ¡igualito que Cristóbal Colón! —Kika le da unas palmadas en el hombro—. Bueno, sigamos... El largo viaje de búsqueda continuó, y aunque Colón estaba rodeado de agua, andaba muy escaso de bebida potable. El sol ardía en el cielo, y eso, claro, ¡aumentaba la sed!

—¡Yo también tengo sed! —dice Dani.

—¡Oh!, no hay problema...

Kika lo conduce hasta la nevera, echa unas pocas gotas de agua mineral en un vaso y lo coloca en la mano de Dani.

Esta vez, él ya no se fía tanto, y primero se acerca el vaso a la nariz con mucho cuidado. Cuando comprueba que no hay peligro, vacía el vaso de un trago.

—¡Más, dame más! —dice, deseando librarse del asqueroso sabor a sal.

—¿Acaso pretendes darle órdenes a tu reina? ¡Deberías ser más respetuoso! —replica Kika—. Además, el agua escasea…

—¡Por favor, por favor, dame un poco más, querida reina! —suplica Dani.

—Colón siguió navegando y navegando… —Kika finge no escuchar a su hermano—. Para entonces, llevaba tanto tiempo de viaje que hasta la poquísima agua potable que tenía empezó a estropearse…

—¡Jooo, tengo mucha sed! —gimotea Dani.

Kika vuelve a conducirlo hasta la nevera. ¿No había allí un frasco de pepinillos en vinagre…?

Con una sonrisita perversa, Kika echa un poco de agua con sabor a vinagre en el vaso de su hermano. Y esta vez, él se acerca el vaso a la boca sin la menor sospecha...

—¡Aaaaarrrrgggg!

A Dani se le pone una cara tan verde como los pepinillos. Enfadadísimo, se arranca el pañuelo de los ojos para ver lo que le ha hecho beber Kika.

Al descubrir el frasco de pepinillos se enfada aún más, aunque lo que le preocupa ahora es quitarse ese espantoso sabor a vinagre de la boca. ¡Ya se encargará de Kika después!

Dani abre la nevera de golpe y bebe directamente de la botella de agua mineral.

—¡Ufsss, qué mal rato! —suspira, aliviadísimo.

Sin que su hermano se dé cuenta, Kika saca del bolsillo de su pantalón el caballero de Lego y lo coloca junto al frasco de pepinillos en vinagre.

—Dani..., digooo..., Colón... ¡Lo has conseguido! ¡Mira!

Cuando el niño descubre su figurita de Lego, se queda tan sorprendido que el enfado con su hermana desaparece como por arte de magia.

—¡El método de búsqueda de Colón ha funcionado! —exclama Kika.

Pero para Dani, lo principal es haber encontrado su caballero. Le da completamente igual que haya sido al estilo de Colón, de Colín o de cualquier otra forma, así que desaparece muy satisfecho en dirección a su habitación.

Kika levanta los puños en señal de victoria y suspira por lo bajo:

—¡Al fin, paz!

Pero ahora ya no le apetece seguir leyendo el libro sobre Colón, sino que se dirige a su cuarto y saca su libro secreto de magia del escondrijo bajo la cama. ¡Seguro que allí encuentra un truco sobre búsquedas!

Y es que se le ha ocurrido una idea grandiosa...

33

No quiere buscar cualquier cosa así, al tuntún, sino… ¡¡¡un auténtico tesoro!!! ¿No sería eso una superaventura hecha a la medida de Kika? ¿Para qué tiene un libro de magia, si no? Mira que no habérsele ocurrido antes…

No encuentra nada en la letra «B» de «buscar» ni en la «R» de «riqueza», y sigue pasando las páginas del libro mágico hasta que, de pronto, en la letra «T»…, ¡eureka!

Tesoros desaparecidos, dice el título del capítulo. Y en unas pocas líneas encuentra la descripción detallada de lo que hay que hacer para encontrar eso mismo: tesoros desaparecidos. ¡El truco parece de lo más sencillo!

Kika repasa atentamente las indicaciones. Sobre todo le gustan las últimas frases, y sin darse cuenta, lee en voz alta algunas palabras mágicas…:

Si en este conjuro confías,
te llevará hasta el tesoro.
Olvida tu escoba de bruja
y hasta aquí léelo todo.
Solo recita estas frases...
¡y volarás hacia el oro!

Pero... ¿¿¿qué está pasando??? Kika nota cómo el suelo desaparece bajo sus pies... ¡y cómo ella se aleja flotando!

No entiende nada de nada. ¡Ese no es su habitual «Salto de la bruja»!

No ha apretado ningún objeto contra su pecho, como hace siempre para fijar el destino de sus viajes. Para llegar a la Edad Media[1], por ejemplo, usó una auténtica moneda medieval que le había prestado su tía.

---

[1] Puedes leer esta aventura en el número 9 de la colección: *Kika Superbruja y la espada mágica.*

Y para trasladarse junto a la momia de un faraón del antiguo Egipto[2] empleó un poco de polvo antiquísimo que recogió de un museo. De ese modo ha viajado ya muchas veces en el tiempo, y ha vivido las aventuras más emocionantes.

Pero esta vez ni siquiera le ha hecho falta pronunciar la fórmula mágica para dar el «Salto de la bruja». Y no tiene ni idea de adónde se dirige…

Mil pensamientos se atropellan en su cabeza. ¿Qué habrá sucedido? ¿Adónde la llevará este embrujo? ¿A qué época? ¿Irá a parar a la Edad de Piedra…, o quizá al futuro?

Aunque… si el encantamiento tiene que ver con tesoros perdidos, ¡a lo mejor aterriza junto a un cofre repleto de oro!

---

[2] Puedes leer esta otra aventura en el número 7 de la colección: *Kika Superbruja y la momia*.

Capítulo 2

Kika por fin vuelve a sentir tierra firme bajo sus pies.

Un calor húmedo y sofocante la envuelve.

En el aire flota un extraño aroma dulzón.

Y oye ruidos…, una especie de tumulto que no sabe identificar.

Se atreve a abrir los ojos. Despacio, muy despacio…

No hay mucha claridad a su alrededor, pero a pesar de que nunca ha estado en un lugar como ese, enseguida deduce dónde se encuentra: ¡en la selva!

La abundante vegetación deja a Kika boquiabierta. ¡Jamás hubiera pensado que existían tantísimos tonos distintos de verde!

El segundo color dominante es el marrón de los troncos de los árboles. Algunos son tan enormes que parecen tocar el cielo. ¡Ni siquiera se ve el final de sus copas!

Miles de flores diferentes parecen competir entre ellas para ver cuál tiene un colorido más vivo.

Y en lo que respecta a los animales…, Kika no puede verlos, solo los oye. Están perfectamente camuflados entre la vegetación, aunque organizan un estrépito de aúpa, como si fueran una banda de rock. ¡Qué graznidos, y cantos, y gritos, y rugidos…! ¡Es increíble!

Kika se imaginaba la selva mucho más silenciosa. Hasta las legiones de insectos que vuelan y corretean producen un zumbido de lo más escandaloso.

Allí, todo parece una lucha continua por ver quién hace más ruido… Incluso muchas plantas trepan, se enroscan y rivalizan entre ellas por conseguir un poco de luz.

Kika mira hacia arriba. Las copas de los árboles son tan espesas que apenas logra divisar el cielo. Solo por un agujero diminuto penetra un rayo de claridad, como si fuera el foco de un teatro.

Entonces Kika fija la vista en el lugar que ilumina ese cono de luz: un pequeño trozo de suelo de esa selva virgen. ¿No brilla algo dorado en ese minúsculo claro?

Kika echa a correr hacia ese punto, pero de pronto, un pensamiento terrible la frena en seco: ¿y si por allí hay… ¡serpientes!? Al fin y al cabo, aquello es la selva, y seguro que está poblada de un sinfín de ellas.

A partir de ese momento, Kika decide poner toda su atención en no pisar una serpiente venenosa… ¡y llevarse un buen picotazo! Eso significa que tiene que avanzar con mucho cuidado, casi a paso de tortuga.

Pero cuando ya se ha acercado tanto que acierta a distinguir aquello que reluce en el suelo, Kika olvida todas las precauciones y recorre a toda velocidad el último tramo del camino.

Las hojas, las ramas y las lianas le golpean la cara, pero ella no se da cuenta. Kika solo tiene ojos para ese objeto dorado y reluciente...

Cuando llega frente a él, contiene la respiración. Aquello es... ¡una corona!

Una espléndida piedra preciosa bellamente tallada adorna la valiosa joya, además de unas cuantas plumas de brillantes colores.

Kika está sorprendidísima.

—¡Increíble! —se le escapa en voz alta—. ¡Esto no puede ser verdad! ¡Ya lo creo que no!

Y justo cuando se agacha para recoger del suelo la magnífica corona…

—¡NO! ¡NO!

Unos gritos paralizan a Kika. ¡Se ha llevado un susto de muerte!

Sin pensárselo dos veces, salta hacia el arbusto más cercano para esconderse.

Aquella voz ha sonado… ¡escalofriante! Pero Kika no es de las que se dejan llevar por el miedo. Al cabo de un momento, abandona su refugio seguro e intenta descubrir quién ha querido impedirle coger la corona.

No ve a nadie, aunque con tanta vegetación es fácil esconderse. Aquella voz parecía la de un hombre…

Kika espera, al acecho.

Mientras tanto, los mil sonidos
de la selva parecen volverse
más intensos: silbidos, rugidos…

A pesar del calor, a Kika
se le pone la piel de gallina.

Se dice a sí misma que lo primero
es encontrar a la persona que ha
gritado. Aunque… ¿estará tan nerviosa
que se ha imaginado esa voz?
¡Eso ha debido de ser!

Kika respira hondo, y enseguida suelta
una risita. ¡Ella se ha enfrentado a
peligros muchísimo mayores, como para
asustarse ahora por un gritito de nada!

Riéndose todavía de sí misma, avanza
decidida hacia la valiosa corona. Para
darse ánimos, se dice:

—No puedo dejar esta maravilla tirada aquí, en mitad de la selva…

—¡LA SELVA! ¡LA SELVA! —aúlla de nuevo esa voz espantosa.

Pero el ansia de Kika por hacerse con la corona es mayor que su miedo. Rápida como el rayo, extiende la mano, agarra la valiosa joya y se esconde de nuevo.

Aguza el oído. Ninguna voz la llama. Nadie la sigue. Pero, a pesar de todo, se siente inquieta…

En ese momento, lo que más desea es volver a casa, y allí, por fin tranquila, examinar con calma la corona que ha encontrado. Así que desliza la mano dentro del bolsillo de su pantalón para coger su ratoncito de peluche. Le bastará apretarlo contra su pecho mientras pronuncia la fórmula mágica del «Salto de la bruja» para aterrizar sana y salva en su habitación.

Pero su mano se cierra en el vacío…

De repente se da cuenta de que no lleva su ratoncito, y de que ha ido a parar nada menos que a una peligrosa selva por un tonto descuido: haber leído *en voz alta* un conjuro de su libro secreto de magia. ¡Qué estupidez por su parte! ¡Ha cometido un verdadero error de principiante!

Ahora, sin su ratoncito, ¿tendrá que quedarse para siempre en la selva?

A Kika se le llenan los ojos de lágrimas.

Y de pronto, ¡bufff, la angustia desaparece! Acaba de palpar en su bolsillo… ¡el yoyó de Dani!

Kika resopla y se limpia el sudor de la frente. Gracias a ese juguete podrá regresar por arte de magia y aterrizar en la habitación de su hermano.

Aliviada, hace bailar a toda velocidad el yoyó, que emite un divertido «¡YUIII, YUIII!».

A continuación lo enrolla y pasa a la acción. Apretándolo con fuerza contra su pecho, comienza a murmurar la fórmula mágica del «Salto de la bruja».

Pero algo la detiene…

¿Qué sonido es ese?

—¡YUIII, YUIII!

¿Habrá otro yoyó cerca? ¿Allí, en plena selva...? ¡Imposible!

Por seguridad, Kika aprieta más fuerte el yoyó, hasta que le duelen las manos.

¿Qué habrá sido eso? No parecía la voz de antes... ¿Será un eco de la selva? ¿O realmente habrá alguien ahí?

Sus ojos intentan ver más allá de la espesura que le rodea. Entonces hace zumbar de nuevo el yoyó y...

—¡YUIII, YUIII! —le devuelven el sonido.

Pero esta vez, Kika ha prestado atención y ya sabe de dónde procede ese extraño eco: de una especie de rarísima flor de vivos colores.

Kika lo intenta de nuevo, pero ahora silbando con los dedos para probar con un sonido distinto y... ¡bingo!

—¡FIUUU, FIUUU! —le responden con un potente silbido.

Ahora, Kika está segura: esa flor tan rara en realidad es... ¡un papagayo! Suele ir al zoo con frecuencia y ya ha visto algunos, aunque eran mucho más grandes que este.

—A ver, repite conmigo: ¡Soy un avechucho! —grita Kika entre risas.

—¡SOY UN AVECHUCHO! ¡SOY UN AVECHUCHO! —chilla el pájaro.

—Vaya, vaya... ¡Un bicho tan enano con un vozarrón tan tremendo! —se asombra Kika, y extiende su brazo—: Anda, ven aquí.

—¡AQUÍ, AQUÍ! —grita el papagayo, que parece entenderla, porque echa a volar y se posa en su mano.

Ahora puede contemplarlo a sus anchas. Su larga cola tiene tantísimos colores que Kika se siente incapaz de distinguirlos todos.

Su pecho es de un amarillo brillante, con unas cuantas pinceladas escarlatas. Alrededor del cuello tiene una ristra de plumas de color naranja, como si fueran un collar, que contrastan con el azul oscuro de sus alas y de su cabeza. Con su pico curvo y sus enormes ojos, el papagayo parece sonreír a Kika.

—¡Qué bonito eres, chiquitín! —exclama.

Y es que el pájaro de hermosos colores no es mucho más grande que una paloma.

«A lo mejor es un papagayo enano…, o incluso una cría de papagayo», piensa Kika, y enseguida dice entre risas:

—Alguien tan pequeño como tú no debería llamarse *papa*gayo… ¡sino *hijo*gayo!

—¡HIJOGAYO, HIJOGAYO! —es la rápida respuesta del pájaro.

—Bueno, ya basta de bromas. ¿Cómo te llamas? —le pregunta Kika.

—¿CÓMO TE LLAMAS? ¿CÓMO TE LLAMAS?

—No, no, que cómo te llamas *tú* —insiste Kika—. Algún nombre tienes que tener, ¿verdad? Yo me llamo Kika.

—¡KIKA, KIKA! —grita el pequeño papagayo.

—Sí, así me llamo *yo*, pero ¿y *tú?*

El papagayo mueve la cabeza hacia un lado y mira fijamente a Kika.

—¡YUIII! —silba por fin.

—Parece que te gusta ese sonido, ¿eh? —sonríe Kika—. Muy bien, me parece un nombre estupendo para ti. ¡Te llamaré Yuiii!

—¡YUIII, YUIII! —responde el papagayo, a la vez que mueve la cabeza arriba y abajo, como si estuviera diciendo que sí.

Kika se saca del bolsillo el yoyó de Dani y lo hace zumbar de nuevo arriba y abajo, cada vez más deprisa. El papagayo intenta hacer los coros al yoyó y monta un escándalo tremendo. ¡Chilla como si le fuera la vida en ello!

Kika se parte de risa. Aunque su alegría dura poco…

Antes de que pueda darse cuenta de lo que pasa, un mono colgado de una liana se abalanza sobre ella, agarra el yoyó y desaparece a toda pastilla en lo alto de un árbol.

Kika se queda patidifusa. Jamás conseguiría trepar hasta donde está el mono, así que no le queda más remedio que tratar de asustar al animal para que le devuelva su yoyó. Pero las amenazas de Kika no le impresionan nada de nada. Al contrario, el mono se sienta tranquilamente en una rama y empieza a bailar el yoyó como si tal cosa.

Kika pide ayuda a su nuevo amigo el papagayo:

—¡Vamos, tú puedes volar hasta allí arriba! ¡Dale su merecido a ese mico ladrón de yoyós! ¡Por favor, pajarito!

Pero el papagayo se limita a repetir:

—¡PAJARITO, PAJARITO!

Está claro que Kika tendrá que recuperar su yoyó ella sola, ¡y a cualquier precio!

Es importantísimo que lo consiga, o de lo contrario, no podrá volver a casa.

Coge una rama partida y se la tira al mono, pero el ladrón de yoyós la esquiva fácilmente y salta al árbol siguiente, y desde allí a otro, alejándose cada vez más.

Kika intenta seguirle por el suelo. Precavida, durante la persecución se mete la valiosa corona de oro debajo de la ropa. ¡Solo faltaba que encima la perdiese, o se la robaran!

Así, casi sin darse cuenta, se va internando poco a poco en la selva, con el papagayo volando tras ella.

Entre tanto, la vegetación se ha vuelto tan espesa que a Kika le resulta cada vez más difícil seguir la pista del mono, y empieza a desanimarse. En un determinado momento, incluso lo pierde de vista por completo.

Por fortuna, el mono se toma un descanso y empieza a juguetear de nuevo con el yoyó, así que el peculiar sonido del juguete indica a Kika por dónde buscarlo.

¡Ya lo ha divisado! En ese lugar, la maleza no es tan espesa.

Agotada, Kika se sienta en un tronco de árbol caído, y el papagayo se acomoda en su rodilla.

Ahora tiene que ocurrírsele algo. De nada le sirve encontrar un tesoro si luego no puede volver a casa. Y sin el yoyó, no hay conjuro que valga…

Kika intenta concentrarse, pero está muy cansada. Furiosa, patea el mullido suelo de la selva:

—¡Porras!

—¡PORRAS! —repite el papagayo.

Y el mono, ¿qué hace? ¡Patea su rama, como si también estuviera furioso!

A Kika enseguida se le ocurre una idea… Sabe que los monos son muy juguetones, y que les encanta imitar todo lo que ven. ¡Quizá esa sea la solución!

Se levanta de un brinco y empieza a saltar de un lado a otro. Finge no prestar atención al mono, aunque no deja de observarlo disimuladamente por el rabillo del ojo.

¿Y cómo reacciona el animal? ¡También con saltos!

Entonces Kika prueba a hacer una pirueta… ¡y el mono la imita! La cosa parece divertirle.

Kika no lo pierde de vista. ¡Ahora es el momento! Empieza a moverse como si le hubiera dado un telele, al tiempo que da palmadas. Entusiasmado, el mono choca las palmas de sus manos por encima de la cabeza y… ¡zasss!

¡El yoyó se le cae y Kika lo atrapa! ¡Qué truco tan sencillo!

Para cuando el mono se da cuenta de que Kika le ha tomado el pelo, el yoyó vuelve a estar a buen recaudo en el bolsillo de su pantalón.

—¡Tooooooma ya, so mico! —le grita Kika.

—¡SO MICO, SO MICO! —no tarda en corear el papagayo.

Sin embargo, su alegría no dura mucho. La ley de la selva es muy dura, los peligros acechan por todas partes y hay que estar ojo avizor continuamente…

De repente, Kika nota cómo la agarran por la espalda.

Dos chicos de mirada fiera la empujan bruscamente y la inmovilizan contra el suelo. La pintura blanca que rodea sus ojos contrasta con su piel morena, y hace aún más amenazadora la expresión de sus caras.

¡Kika no tiene la menor posibilidad de defenderse!

Los dos chicos actúan sin decir palabra. En un abrir y cerrar de ojos la atan fuertemente de pies y manos. Luego colocan un palo largo entre las ligaduras y lo alzan sobre sus hombros.

Kika se balancea indefensa, colgando del palo, mientras los dos chicos se la llevan.

Está paralizada de terror... ¡Ojalá hubiera regresado a casa por arte de magia en cuanto el yoyó volvió a su poder! Ahora es demasiado tarde. El yoyó sigue en su bolsillo, pero sus manos están atadas y es imposible escapar.

En esa incómoda posición, Kika únicamente puede ver la espalda del porteador delantero, que solo lleva un cinturón y una especie de falda hecha de hojas anudadas. Con los pies descalzos, camina pesadamente entre la vegetación de la selva.

El collar de huesos que se bambolea alrededor de su cuello llama la atención de Kika. Esa indumentaria tan primitiva... ¿A qué época habrá ido a parar?

Su mirada vuelve a posarse en el collar de huesos. Son muy grandes… ¿No serán… humanos?

Kika traga saliva. ¡Está muerta de miedo!

—¡YUIII! —se escucha entonces desde lo alto.

Una mancha multicolor cruza el aire sobre ella, y Kika sonríe. Al menos es un consuelo que su pequeño amigo no la haya abandonado.

Cuanto más se prolonga el camino hacia lo desconocido, más le duelen las muñecas y los tobillos. Y por si fuera poco, la corona que se ha escondido debajo de la ropa le presiona las costillas.

Los dos chicos continúan la marcha sin detenerse un segundo.

¿Adónde la llevarán? ¿Qué pretenderán hacer con ella?

Capítulo 3

La llegada de Kika al poblado situado en plena selva se extiende como un reguero de pólvora.

Los dos porteadores la depositan bruscamente sobre el suelo de tierra de una gran plaza, y hombres, mujeres y niños acuden en masa, gritando y riendo, para contemplar a la niña atada.

La verdad es que la miran llenos de asombro y amabilidad, pero Kika no se da cuenta.

Ella solo tiene ojos para el enorme caldero que cuelga sobre un fuego…, y se siente todavía peor que antes. ¿Habrá ido a caer en manos de caníbales?

Si al menos supiera en qué época se encuentra… Porque los caníbales han desaparecido hace ya mucho tiempo…, ¿o no?

Kika lanza una rápida ojeada a su alrededor. Las casas que rodean la plaza son redondas y están hechas de barro. No tienen ventanas. Los tejados terminados en punta se componen de grandes hojas superpuestas, y una especie de cortina también hecha de hojas les sirve de puerta de entrada.

También ve a personas trabajando delante de algunas casas. Quizá están preparando comida, o realizando alguna labor manual. Kika no logra distinguirlo, pero desde luego, no usan herramientas modernas. No ve por ninguna parte algo que le recuerde a la civilización actual.

Ahora, Kika está segura: ha ido a parar a una época muy, pero que muy remota.

Hombres, mujeres y niños visten con faldas hechas de hojas, y solo unos cuantos llevan paños de tela toscamente tejida. Los adultos son de corta estatura, apenas un poco más altos que Kika, y tienen la piel muy oscura. Algunos llevan dibujos blancos en la frente y alrededor de los ojos, y también tatuajes con extraños símbolos.

Si no se hubiera dejado asustar tanto por las pinturas y los tatuajes, se habría dado cuenta de que un chico delgado, más o menos de su edad, le ha hecho un guiño lleno de simpatía. Lleva alrededor del cuello una especie de amuleto con un pequeño cocodrilo.

Kika sigue atada en el suelo, completamente indefensa, mientras Yuiii, el papagayo, sentado tranquilamente sobre sus pies, se atusa el plumaje con aire aburrido.

Los habitantes del poblado han formado un estrecho círculo a su alrededor, y ella se siente cada vez más amenazada…

De pronto se hace el silencio y Kika ve aproximarse a un hombre muy viejo. Todos se apartan a su paso con gran respeto.

El anciano camina majestuosamente hacia ella. Él es el único que se cubre con un amplio manto de pieles, y también lleva un adorno de piel y plumas alrededor de la frente.

—Bienvenida a nuestro poblado, niña de piel de harina —la saluda—. Mi nombre es Tumutaque, y soy el más anciano de la tribu.

Kika se asombra al entender sin dificultad alguna las palabras del anciano, aunque enseguida lo atribuye al embrujo que la ha llevado hasta allí.

Ahora, los habitantes del primitivo poblado empiezan a hablar atropelladamente otra vez, todos al mismo tiempo. Incluso un niño se atreve a adelantarse y roza con un dedo a Kika antes de desaparecer de nuevo entre la multitud.

Yuiii picotea todas las manos que se acercan a Kika, como si quisiera defenderla.

Ella comprende al instante que todos desean comprobar si su piel es realmente de harina, e intenta reprimir una sonrisa. ¡En un momento como ese le parece imprescindible parecer de lo más grave y digna!

Entonces el más anciano de la tribu hace una seña a los dos porteadores, y al momento, ellos cortan las ligaduras de los pies de Kika. Así, por lo menos puede levantarse.

69

Con aire vacilante, ya que siente como si miles de hormigas corretearan por sus pies, Kika da unos cuantos pasos, lo que despierta una tremenda algarabía entre aquellas gentes.

Mientras la transportaban hasta el poblado, Kika se hizo el firme propósito de regresar a casa en cuanto pudiera por medio de un hechizo. Y aunque reconoce que en el fondo le pica la curiosidad por lo que está sucediendo, está decidida a marcharse de allí cuanto antes.

¡Todos se quedarán patitiesos cuando la vean desaparecer en el aire ante sus narices! Pero eso le da igual. ¡Quién sabe qué peligros la acechan allí!

Intenta sacarse a toda prisa el yoyó del bolsillo, pero con las manos atadas es imposible. Aun así, vuelve a intentarlo… y sucede: ¡la corona resbala por debajo de su ropa y rueda por el suelo!

Al principio, Kika se queda petrificada. Pero enseguida la recoge con las manos todavía atadas y, sin más, se la pone.

La gente enmudece de golpe y cae de rodillas, ocultando sus cabezas bajo los brazos. Solo Tumutaque, el más anciano de la tribu, permanece en pie, mirando a Kika con los ojos abiertos como platos.

—Enseguida supe que eras una niña especial… —dice al fin con voz llena de respeto, mientras libera las manos de Kika con ayuda de una piedra afilada—. ¿Vienes del reino donde personas y cocodrilos se unen? ¿Nos traes un mensaje de nuestro hechicero?

Kika no entiende ni patata. Pero de momento prefiere callar.

El anciano sigue preguntando:

—¿Te ha enviado el Rey Cocodrilo? ¿Está enojado con nosotros porque ya no celebramos su fiesta, ni le prestamos juramento de fidelidad? Que nos perdone, pero sin nuestro hechicero nos es imposible ejecutar la danza sagrada…

Kika sigue sin entender ni jota. ¿Qué significará todo eso?

—¡Te pido perdón! Mis hijos no sabían que tú llevabas la corona. ¿Es por eso por lo que no nos hablas? ¿Nos guardas rencor por haberte atado? ¿Quieres que sacrifiquemos un cerdo en tu honor? ¡Responde, por favor! ¿O quizá vienes del reino de los que ya no hablan y cuya barriga se vuelve fría? Jamás nos ha visitado alguien de allí... Dime, ¿qué mal hemos hecho? ¡Habla, por piedad!

En ese momento el anciano también cae de rodillas y pide clemencia para su pueblo y para él. Kika se da cuenta de que ha llegado el momento de decir algo. Le da mucha vergüenza tener a la gente así, postrada ante ella.

Decide hablar lo menos posible para no meter la pata y evitar riesgos, así que solo pregunta:

—¿Qué le ha pasado a vuestro hechicero?

—Ha desaparecido, y con él, su corona. Y lo que es casi peor: únicamente él conocía el secreto de nuestro gran tesoro. ¡Ahora, nunca encontraremos el camino hasta allí!

Las palabras «gran tesoro» aguzan los oídos de Kika. Y aunque acaba de sacar disimuladamente el yoyó del bolsillo, piensa que a lo mejor puede quedarse un ratito más… ¿Quién sabe el rumbo que tomará la situación?

De momento, vuelve a guardarse el yoyó. Y como no le parece apropiado preguntar tan pronto por el tesoro, decide hacerse la interesante, como si estuviera meditando profundamente.

—¿Cuándo desapareció vuestro hechicero? —pregunta al fin.

Tumutaque coloca su mano a la altura del ombligo y responde:

—Hace más o menos este tiempo.

Kika no se esperaba una respuesta tan extraña. ¿Qué porras significará eso? ¿Un metro de tiempo, más o menos? La idea le parece de lo más disparatada, como si alguien dijera que nuestras casas miden más o menos dos horas y media de altura. Sin embargo, no quiere que aquellas gentes se den cuenta de que ignora por completo cómo se mide el tiempo en la selva virgen, así que disimula.

—¿Estás seguro? —sigue preguntando.

—¡Por supuesto! —afirma el anciano.

Entonces llama al chico que lleva el amuleto de cocodrilo alrededor del cuello, y le pide que se acerque.

—Este joven es Butamque, hijo de Butumque, nuestro hechicero. La última vez que su padre pudo frotarle la nariz, Butamque era todavía un mamífero.

—¿Un mamífero? —se extraña Kika.

Por suerte, Butamque se tumba en el suelo y empieza a lloriquear y a patalear, seguramente para ilustrar las palabras del anciano y para despejar las dudas de Kika.

Ella comprende en el acto: seguro que la palabra «mamífero» quiere decir «bebé, lactante», y con lo del metro de altura, el anciano debía de referirse a todo lo que ha crecido Butamque desde que su padre desapareció. ¡La verdad es que no está nada mal pensado!

Kika, sin embargo, se queda turulata cuando el chico se le acerca de pronto... ¡y frota su nariz contra la de ella!

A continuación, el muchacho dice con tono solemne:

—Porque nos acerquemos y los cocodrilos se alejen de nosotros.

—Porque nos acerquemos y los cocodrilos se alejen de nosotros —repite Kika, que intuye que eso debe de ser un saludo formal de bienvenida.

Para su asombro, ¡todos los habitantes del poblado se acercan a ella, deseosos de frotar también sus narices contra la de Kika! Pero para su alivio, el más anciano de la tribu los detiene con un gesto:

—¡Ella lleva la corona! —exclama—. ¡Debemos ser más respetuosos!

Entonces Kika se quita la corona un instante, hace una reverencia y dice en voz alta, para que todos la escuchen:

—¡Porque todos nos acerquemos y los cocodrilos se alejen de nosotros!

Sus palabras parecen complacer
mucho a los presentes,
pues aplauden entusiasmados
y también chasquean la lengua, lo que
también debe de significar aprobación.

—Como llevas la corona, seguro que co-
noces el secreto del hechicero y sabes interpretar el oráculo sobre la cueva dorada
—dice Tumutaque.

—¿Qué oráculo? —se le escapa sin querer a Kika.

Debería haberse mordido la lengua, aunque nadie parece sospechar.

Butamque se adelanta al anciano, y explica a Kika:

—Aquí, todos conocemos el oráculo, pero ninguno sabemos interpretarlo. Si mi padre, el hechicero, no nos hubiera abandonado tan pronto, seguro que habría iniciado a uno de nosotros en su secreto…

Acto seguido, carraspea con mucha ceremonia y empieza a recitar:

Confía siempre en tu Rey,
que tus sentidos no sean tu ley.
Huye de lo que fluye, ven junto a lo que ves:
esa es la diferencia entre ganar o perder.
Así, mi pertenencia por fin encajará
donde la sombra a la piedra besará.

—Ah, os referís a *ese* oráculo... —comenta Kika con fingida indiferencia.

—¡Sabía que tú sí podrías interpretarlo! —exclama aliviado el anciano Tumutaque—. ¡Vamos a sacrificar un cerdo, y esta noche celebraremos una fiesta! Mañana mismo deberíamos emprender el camino hacia la cueva dorada del Rey Cocodrilo. Allí se encuentran también los valiosos ropajes para ejecutar la danza sagrada. Llevamos ya demasiado tiempo sin bailarla... Debemos ganarnos enseguida con ella la indulgencia de los cocodrilos. Por desgracia, en los últimos tiempos se han llevado a muchos de los nuestros...

—¿Sabéis dónde está la cueva dorada? —quiere saber Kika.

—En realidad, solo conocemos el camino hasta las Aguas Rientes —explica de nuevo el joven Butamque—. El resto deberás recorrerlo tú sola, para que siga siendo tu secreto.

Kika traga saliva. ¡Menuda responsabilidad!

—Únicamente sabemos por las narraciones de nuestro hechicero Butumque que el Rey Cocodrilo guarda magníficos tesoros en su cueva de oro —añade el anciano Tumutaque—. Ninguno de nosotros los ha visto, ya que nuestro hechicero iba sacando solo la pequeña cantidad de oro que necesitábamos en cada ocasión.

Kika se pregunta asombrada para qué necesitarían oro allí, en plena selva, pero se limita a preguntar:

—¿A qué distancia están las Aguas Rientes?

—No quedan lejos —explica el anciano—. Hay que cruzar la selva hasta llegar a la morada del hombre del hueso parlante y la caja cantarina. Una vez allí, basta seguir el curso del río para llegar a las Aguas Rientes.

—¿Un hombre
con un hueso que
habla y una caja
que canta? —se
extraña Kika.

El joven Butamque
enseguida sale
en su ayuda:

—Ese hombre
es un poderoso
mago. Posee
un hueso con
el que a veces
habla. ¡Y su magia
con la caja cantarina
es muy poderosa!
A veces la hace
cantar para nosotros. Basta
con darle un buen pedazo de oro.

—Un buen pedazo de oro... —repite
Kika, cada vez más sorprendida.

83

—Pero ahora ya no nos queda nada —sigue hablando el chico—. Le hemos entregado todo nuestro oro a ese hombre. Para conseguir más, tendríamos que ir a la cueva dorada y, como ya sabes, allí solo puede entrar nuestro hechicero, y él…

—Ya, ya… —le interrumpe Kika—. ¿Y cuánto tiempo se necesita para llegar a las Aguas Rientes?

El anciano Tumutaque muestra una distancia minúscula, como de medio centímetro entre su índice y su pulgar, y responde:

—Aquel que tenga buenos pies solo necesita más o menos este tiempo.

Kika pone los ojos en blanco. ¡Pedir a aquellas gentes cualquier dato útil sobre el tiempo es imposible! Resulta evidente que eso no tiene la menor importancia para ellos. ¡Un caso rotundamente diferente al de ella!

84

Kika cavila qué hora será. Por desgracia, ni siquiera se ha traído su reloj de pulsera. Lo había llevado en todas sus aventuras anteriores, porque tiene una alarma que conecta siempre antes de dar el «Salto de la bruja». Así, su reloj le recuerda puntualmente cuándo debe volver a casa. Pero en esta ocasión tendrá que arreglárselas sin él…

Kika calcula que ha sido arrancada de su habitación por arte de magia más o menos a las tres de la tarde. Sus padres habían salido, pero no tardarían mucho en volver…

Sea como sea, ¡a Kika apenas le queda tiempo! ¡Sería una catástrofe que llegaran y ella no estuviera en casa!

A pesar de todo, ella no *puede* irse aún. Tiene que ayudar a las gentes del poblado. Y además, por una vez en su vida, ¡le apetece encontrar un auténtico tesoro!

—¡Bueno, no perdamos más tiempo! —propone, decidida—. ¡Hay que salir de inmediato hacia las Aguas Rientes!

Todos se muestran encantados con la sugerencia…, excepto una mujer muy anciana y llena de arrugas.

La mujer se aproxima a Kika y empieza a hablar con voz lúgubre, como si estuviera recitando un conjuro:

—Oíd, oíd lo que os dice Mama-Guiama, vuestra pitonisa. ¿Quién nos asegura que esta niña no habla con lengua de serpiente? Llevar la corona del cocodrilo no la convierte por fuerza en una hechicera. ¡Puede haberla robado! Al final, solo querrá saber dónde está el tesoro del Rey Cocodrilo… Todos vosotros sabéis cuántas veces lo ha intentado ya el hombre de la caja cantarina. Pero con él siempre hemos sido cautelosos, y hasta hoy no ha conseguido averiguarlo. ¿Estáis pensando en revelar nuestros secretos sin más ni más a esta niña de piel de harina?

Un rumor recorre el poblado.

—¡Mama-Guiama, la pitonisa de nuestra tribu, tiene razón! —grita alguien—. Deberíamos poner a prueba a la extranjera. Quizá no sea una hechicera de verdad.

—¡Cierto! —exclama otra voz—. ¡Pongamos a prueba a la forastera! ¡Mama-Guiama, consulta tu oráculo!

Todos miran expectantes a la anciana mujer, y esta responde:

—Para eso no necesito consultar mis hojas susurrantes ni mis raíces murmurantes. Si la extraña es una auténtica hechicera, no le importará que la sumerjamos bajo el agua unas cuantas lunas. Así podremos comprobar además si su piel es realmente de harina, o se oscurece con el agua.

¡Ostras, ostras y re-ostras!

¡A Kika se le tiene que ocurrir algo ahora mismo!

¿Qué tal un pequeño truco de magia?

Aunque la verdad es que está tan nerviosa que no se le ocurre ninguno…

De pronto, desliza su mano en el bolsillo. No está dispuesta a que le den un baño… ¡de unas cuantas lunas, nada menos! Así que debe dar el «Salto de la bruja». ¡Y ya mismo! Por fortuna, tiene la fórmula mágica grabada a fuego en su memoria. Jamás se le olvidará.

Ya sujeta en su mano el yoyó. Ahora solo le queda apretarlo contra su pecho.

Pero… ¡espera! ¿Y si…?

—¡He invertido muchos soles y lunas de viaje para venir a veros! —dice con voz profunda.

Y como respondiendo a un santo y seña, el papagayo Yuiii grita:

—¡VEROS, VEROS!

Kika prosigue:

—Como es lógico, igual que he llegado a vuestra selva, también puedo marcharme, eso sí…, no sin antes hablar con el Rey Cocodrilo. Le diré que no concedéis el menor valor a la danza sagrada. Que ya no queréis rendirle homenaje. Que me habéis negado la entrada a la cueva dorada…

¡Y entonces viene el golpe de efecto!

Kika hace bailar arriba y abajo su yoyó.

«¡Yuiii!», silba el juguete, al tiempo que hace centellear un montón de lucecitas.

—¡YUIII, YUIII! —grita como un descosido el papagayo.

Completamente impresionados por el espectáculo, todos estallan en gritos de júbilo. ¡La hechicera de piel de harina les acompañará a la cueva dorada! No desean esperar más tiempo para bailar por fin la danza sagrada del cocodrilo.

Con un gesto solemne, el anciano Tumutaque hace enmudecer a todos.

—Por favor, perdona nuestras dudas —ruega a Kika—. Tienes que comprender que solo tratábamos de protegernos…

—No tiene importancia… ¡Pongámonos en marcha! —le apremia Kika—. ¡Voy a intentar descubrir vuestro tesoro!

De nuevo estallan grandes gritos de júbilo, y el anciano escoge a los miembros de la tribu que acompañarán a Kika en su arriesgada misión. Entre ellos figuran sus dos hijos, los que sirvieron de porteadores, además de los cazadores más fuertes y valerosos del poblado.

Pero Kika tiene un ruego que hacer a Tumutaque:

—Deja que nos acompañe también Butamque. ¡Al fin y al cabo, es el hijo de vuestro hechicero perdido!

Entonces sí que se desata una alegría tremenda. Con ese gesto, ¡Kika acaba de conquistar los corazones de todos!

Poco después, un grupo de nueve personas emprende el camino.

Sin hablar mucho, caminan a grandes zancadas por la selva formando una fila. Kika se alegra de que la dejen ir en el centro. Así, el peligro de que le piquen serpientes es menor. No teme los ataques de animales de gran tamaño. Al fin y al cabo, viaja con los mejores cazadores de la tribu.

Kika ha puesto su corona a buen recaudo debajo de su ropa, no sea que aparezca otro mono y se la quite…

Cuando el grupo ya lleva una eternidad caminando por la selva, Kika empieza a preguntarse cómo sus acompañantes saben adónde dirigirse.

No se divisan senderos, o pisadas, ni ninguna otra señal.

La frondosa vegetación dificulta mucho el avance, y los hombres tienen que ir abriendo camino en la espesura.

De cuando en cuando se detienen unos momentos para recolectar los frutos más singulares, y Kika descubre que tiene un hambre feroz. Esos frutos tienen un sabor delicioso, y es una pena que no pueda hablar de ello al volver a casa. Aunque ese es precisamente el destino de una bruja secreta…, ¡guardar silencio!

Por fin dejan atrás la espesa selva y llegan a una llanura cubierta de hierba. Un gigantesco río sigue su curso serpenteando lentamente.

Ahora, el avance es más rápido. Los hombres incluso inician una pequeña carrera. ¡Menos mal que Kika está en buena forma!

De pronto, aminoran el paso.

Butamque estira el brazo para señalar una dirección a Kika:

—¿Ves esa cabaña de allí? Mi padre habló de ella a nuestra tribu. Pero no conviene que nos acerquemos. El mago que habita ahí es peligroso…

—Por favor, deja que le eche un vistazo a esa cabaña —le interrumpe Kika—. ¡Quiero conocerle a él y a su caja cantarina! Y quizá pueda ver cómo hace hablar a los huesos…

—¡Es muy peligroso! Su casa es un hervidero de cocodrilos —replica Butamque—. Pero en fin, si es tu deseo… ¡Ten mucho cuidado!

Kika observa la cabaña. A diferencia de las chozas de barro del poblado, está construida con troncos apilados unos encima de otros.

Y cuando se acerca más, una imagen espantosa hace que se le ponga la piel de gallina... En efecto, ¡aquello es un hervidero de cocodrilos! Pero no es solamente el número lo que la asusta. Los animales están encerrados en jaulas estrechísimas, muchos de ellos a punto de morir de hambre, y otros ya muertos.

Ante la casa, Kika encuentra un cocodrilo al que le han arrancado la piel. Una visión repugnante.

Entonces comprende a qué se dedica el misterioso dueño de la choza... ¡Es un cazador de cocodrilos!

Justo al lado de la vivienda hay una especie de cobertizo. Allí, junto a montones de carne que sirve de cebo para las trampas de los animales, se apilan pieles de cocodrilo de diferentes tamaños. Ese hombre ni siquiera parece tener escrúpulos en despellejar a los animales más jóvenes. ¡Qué monstruo!

Kika sabe que con las pieles de cocodrilo se fabrican todavía hoy finos bolsos y
zapatos. En algunos países su venta está
prohibida, pero a pesar de todo siempre
hay personas que se interesan precisamente por esos raros artículos de piel. Le
parece repugnante...

De pronto, Kika cae en la cuenta de que
hay algo que no encaja. Si ha ido a parar
a una época primitiva..., ¡todavía no puede haber bolsos ni zapatos de cocodrilo!
Todo esto es muy extraño...

La choza parece abandonada, al menos de momento. ¡Es una ocasión magnífica para que Kika investigue el asunto del hueso parlante y la caja cantarina!

Como los demás no se atreven, Kika entra en aquel lugar con la única compañía de Yuiii. Y una vez dentro, todo se aclara: nada de épocas primitivas... ¡Lo primero que ve es una radio! ¡Pues claro: la caja cantarina!

Luego le llama la atención un enorme aparato con un montón de cables. ¿Un generador, tal vez? A su lado hay una red, unida con una cuerda larga y un pequeño mecanismo plegable de madera. Kika se da cuenta en el acto de que se trata de un dispositivo-trampa para cazar cocodrilos.

Y poco después encuentra también el hueso parlante. Naturalmente, ¡no es otra cosa que un teléfono! Y qué teléfono... Un aparato de lo más moderno: ¡por satélite! Claro, ¿qué otro funcionaría allí, en aquel paraje tan remoto?

Enseguida se le ocurre una idea. Quizá desde allí pueda...

Coge el teléfono y marca. ¡Funciona...!

Por suerte, recordaba el prefijo internacional desde las últimas vacaciones en Italia.

Poco después, su hermano Dani se pone al aparato.

—¿Qué tal? ¿Han vuelto ya papá y mamá? —le pregunta Kika—. Por favor, diles que he llamado. Y que esta noche me quedaré a dormir en casa de mi amiga Mónica. Volveré mañana por la mañana para desayunar. No se te ocurra olvidarte, ¿me oyes?

—¿ME OYES? —grita Yuiii a sus espaldas.

¡Lo que faltaba!

—¿Quién ha gritado así? —pregunta Dani, extrañado—. ¿Un monstruo?

—No, no —tranquiliza a su hermano—. ¡Aquí no hay ningún monstruo! Es queeee…, ejem…, Mónica y yo estamos viendo la televisión… ¡Sí, una película de terror! Y no te olvides de contárselo todo a papá y a mamá. ¡Adióooos!

¡Bufff, lo ha conseguido! Kika ya se ha quedado a dormir muchas veces en casa de Mónica. Seguro que así, con esa menti-rijilla inocente, sus padres no estarán preo-cupados por ella. Al menos acaba de ga-nar un poco más de tiempo. No es que se proponga esperar hasta mañana temprano para regresar a casa por arte de magia, pero en cualquier caso, así es más seguro.

Kika respira aliviada. Y de nuevo siente ra-bia contra el hombre del hueso-teléfono.

Desde que los habitantes de la selva le contaron que ese individuo solo les enseñaba su caja cantarina a cambio de oro, le asaltó una sospecha. Qué tipo tan detestable… ¡Además de robar el oro a los nativos, se dedica a torturar animales!

Cuando Kika vuelve a dejar el teléfono encima de la mesa, descubre unas cartas abiertas. Son facturas que demuestran que ese hombre recibe dinero por su mercancía prohibida. ¡Mucho dinero!

«¡Te vas a enterar!», se dice, llena de rabia, y rápidamente se guarda una de las facturas. Será una prueba magnífica cuando más adelante le chafe el negocio a ese traficante de animales.

Ya fuera de la vivienda, Kika ve que los hombres están dándole agua a los cocodrilos de las jaulas. Eso es lo único que pueden hacer por los pobres animales, pues liberarlos de su prisión resultaría demasiado peligroso en ese momento.

Butamque explica a Kika que ellos sienten un gran respeto y veneración por esos animales. A veces se enfrentan a los cocodrilos, es cierto, pero solo cuando se ven en peligro. ¡Jamás matarían por pura diversión!

Kika no se atreve siquiera a explicar que el hombre del hueso parlante no mata únicamente por placer, sino sobre todo por codicia. «Seguramente, estas buenas gentes ni siquiera sepan lo que es la codicia», se dice.

Ahora, lo principal es salir de allí. Kika se muere de curiosidad por ver las Aguas Rientes y, sobre todo, ¡el fabuloso tesoro de la cueva dorada!

Capítulo 4

Llamar a su hermano ha sido una idea genial. Así, Kika tiene una coartada perfecta y sus padres no estarán preocupados. Con ese margen de tiempo no tendrá que pasarse todo el rato pensando en regresar puntual a casa y podrá concentrar todas sus energías en esta nueva aventura.

Cada vez se internan más en la selva, que parece espesarse a cada paso y les obliga a avanzar con gran lentitud.

—¿Oyes la risa del agua? —le pregunta Butamque de pronto, después de llevar andando una eternidad…, o al menos, eso le ha parecido a Kika.

Ella, sin embargo, solo oye el griterío de los pájaros y los monos. Lógicamente, el oído de Butamque está más acostumbrado a distinguir los ruidos de la selva.

Kika está tan agotada por la larga caminata y por el sofocante calor que ni siquiera es capaz de contestar. Tiene la boca seca, y la lengua se le pega al paladar.

Pero justo en ese instante ve algo que le hace olvidarse de todo el cansancio y las dificultades del camino…

Ante ella acaba de aparecer una gigantesca catarata: ¡las Aguas Rientes!

El agua golpea sin cesar contra los salientes rocosos, y eso produce un rumor muy parecido a una risa. ¡Es un espectáculo impresionante!

Mientras Kika contempla todo aquello admirada, los hombres ya han echado a correr para saciar su sed.

Butamque incluso se lanza al estanque que hay al pie de la catarata y hace una señal a Kika para que lo imite. ¡Una oferta a la que no puede resistirse!

Kika coge carrerilla y se zambulle en el agua fresca. ¡Ufssss, qué alivio!

—¡Cuidado! —grita de pronto Butamque—. ¡Detrás de ti hay un cocodrilo!

—¡COCODRILO, COCODRILO! —repite Yuiii.

Presa del pánico, Kika intenta alcanzar la orilla nadando a toda velocidad. Por fin logra salir del agua, agarrándose a unos juncos, y se vuelve rápidamente para asegurarse de que el reptil no la persigue.

—¡Has picado, has picado! —grita Butamque, muerto de risa.

—¡Espera y verás…! —responde Kika—. ¡A mí me llaman el tiburón blanco!

De vuelta al agua, se sumerge en busca de Butamque y le hace tantas aguadillas que el chico, resoplando y riendo, le pide perdón.

Pero no hay tiempo para seguir jugando. ¡A Kika le esperan importantes tareas! Ni siquiera se ha molestado en quitarse la ropa para bañarse, así que ahora, con Yuiii sobre su hombro y completamente empapada, no es que tenga un aspecto muy imponente que digamos, aunque nadie parece fijarse en eso.

Los hombres se limitan a mirar en silencio hacia un punto situado en la otra orilla del estanque.

Kika lanza una mirada interrogativa a Butamque.

—Tienes que pasar por ahí —es la respuesta del chico, que enseguida echa a correr para mostrarle el camino.

Sin embargo, uno de los hombres le advierte:

—¡Detente, Butamque! ¡Tú no eres un hechicero!

—Solo quiero enseñarle cómo llegar hasta la catarata —se justifica él, y coge de la mano a Kika mientras le susurra—: Vamos, ¡sé valiente!

Butamque conduce a Kika alrededor del estanque hasta que llegan al borde de la cortina de agua.

—Un día intenté atravesar las Aguas Rientes… —le confiesa él—. En realidad lo tenía prohibidísimo, pero… si mi padre no hubiera desaparecido, yo también me habría convertido en hechicero. *Tenía* que intentarlo, ¿comprendes?

Con el ruido de la cascada apenas consiguen oírse, y casi tienen que gritarse al oído.

—¿Qué hay detrás de la catarata? —pregunta Kika.

—Tendrás que descubrirlo tú misma —responde él—. Yo no puedo acompañarte. ¡Tumutaque se enfadaría mucho conmigo!

—¿Y qué pasará cuando la haya cruzado?

No tengo ni idea... Seguro que tiene algo que ver con el oráculo mágico. Yo no lo sé interpretar, pero para ti, como hechicera, resultará muy fácil, ¡ya lo verás!

Al ver la expresión de Kika, el chico enseguida se da cuenta de que ella ha olvidado las palabras del oráculo, y vuelve a recitárselo con voz solemne.

Kika siente cómo un escalofrío le recorre la espalda. ¡Ella tampoco entiende el significado del oráculo! Pero, a pesar de todo, debe enfrentarse sola a esta aventura. ¿Qué otro remedio le queda?

Así que mete a Yuiii debajo de su ropa, inspira profundamente y, conteniendo la respiración, cruza la cascada. El agua la golpea en la cabeza con una fuerza colosal. Durante un instante le parece estar a punto de desplomarse. Pero al siguiente paso se encuentra en un lugar seco sobre el que se cierne un silencio sepulcral…

Ante ella se extiende una pequeña pradera enmarcada por unas rocas situadas muy juntas. ¡Porras! ¿Por dónde debe seguir?

Kika investiga las paredes rocosas para comprobar si ha pasado por alto alguna pequeña rendija que le permita el paso.

Nada. Rocas sólidas, macizas.

El oráculo… Quizá la ayude a avanzar.

Kika lo recita en voz alta:

Confía siempre en tu Rey,
que tus sentidos no sean tu ley.
Huye de lo que fluye, ven junto a lo que ves:
esa es la diferencia entre ganar o perder.
Así, mi pertenencia por fin encajará
donde la sombra a la piedra besará.

Kika medita unos instantes..., y de repente una sonrisa ilumina su cara.

En realidad, la parte central del oráculo es muy fácil de entender: *«Huye de lo que fluye»*. Esto solo puede significar que hay que alejarse todo lo posible de la catarata. Y a continuación: *«Ven junto a lo que ves»*. Es decir, que debe acercarse a lo que contempla, o sea, a las rocas que tiene enfrente.

Pero ¿cómo seguir?

Quizá…

¡Eso es! Una vez que empiezas, ¡no es tan difícil!

113

Ahora, la última parte del oráculo también se entiende perfectamente: *«Así, mi pertenencia por fin encajará donde la sombra a la piedra besará»*.

Muy cerca de la pared rocosa se alza una piedra de la altura de un hombre. El rayo de sol que cae sobre ella, tras filtrarse por una rendija de la roca, proyecta una sombra sobre la pared. Así que allí tiene que entrar algo… Pero ¿qué? Y sobre todo, ¿cómo? ¡Si no se ve ninguna abertura!

Una y otra vez recita para sí el oráculo mágico, pero no encuentra la solución. ¡Es desesperante!

Entre tanto, Yuiii se está poniendo nervioso debajo de su ropa. ¡Pobrecillo, se había olvidado por completo de él! Kika lo pone en libertad rápidamente:

—¡Huy, perdóname, pajarito! Seguro que estabas medio asfixiado ya. Con los nervios, me he olvidado de ti y de la corona.

—¡LA CORONA, LA CORONA! —repite Yuiii.

—Sí, sí, lo siento… —vuelve a disculparse Kika—. ¿Te has hecho daño con la…?

—¡LA CORONA, LA CORONA! —la interrumpe Yuiii.

¿Estará tratando de decirle algo?

—¿Qué pasa con la cor...?

Kika se queda a mitad de frase y empieza a cavilar.

—La corona... —murmura—. ¡Pues claro! ¡Seguro que tiene mucho que ver con el oráculo! Pero... ¿en qué sentido?

Kika intenta mantener la mente despejada y pensar con frialdad. Esa actitud ya le ha servido de ayuda en muchas aventuras.

La corona... Kika la ha encontrado, pero... en realidad pertenece al hechicero... O no... Pertenece al Rey Cocodrilo... O mejor: al hechicero cuando interpreta al Rey Cocodrilo...

Mmmm... A lo mejor hay que meter la corona en la pared rocosa, justo en el lugar donde la roza la sombra. ¡Pero allí no se ve ningún agujero! Aunque...

De pronto, Kika comprende también la primera parte del oráculo: *«Confía siempre en tu Rey, que tus sentidos no sean tu ley»*.

Así que tiene que confiar ciegamente en el oráculo y desconfiar de sus sentidos… ¿Y si el no ver un agujero en la roca no tuviese importancia?

Kika vuelve a acercarse a la piedra y aprieta la corona contra la zona en sombra.

¡Bingo! La piedra cede sin el menor ruido y se abre como una puerta.

Kika da un paso al frente y contempla una misteriosa gruta. La visión la deja casi sin aliento, y ni siquiera se da cuenta de que la entrada rocosa se cierra con sigilo a su espalda.

La gigantesca cavidad le recuerda a la bóveda de una iglesia, solo que allí todo es de oro puro. Por todas partes hay enormes estatuas de cocodrilos, de unos cuatro metros de altura, que se alzan sobre las dos patas traseras. Parecen los temibles guardianes de aquel inmenso tesoro.

Una luz suave entra por algún punto del techo dorado. Sus rayos caen sobre lianas y flores que trepan a una altura que da auténtico vértigo.

La zona frontal de la cámara se compone de una plancha de oro en la que también está grabada la imagen de un cocodrilo, pero este tiene un aspecto distinto al de los guardianes… Lleva un adorno de plumas multicolores, y una corona como la que encontró Kika.

Delante de esta imagen hay una especie de altar sobre el que reposa algo. Kika se encamina hacia allí con mucha cautela y descubre una piel de cocodrilo adornada con un collar de plumas de colores. ¡Igual que el que está reproducido en la plancha de oro! Solo falta la corona…

Kika comprende en el acto que debe de tratarse del traje de ceremonia del hechicero, y lo que le falta es la corona que ella sostiene en sus manos. Lo coge con cuidado y coloca la corona en la cabeza del cocodrilo. Allí hay un dispositivo para sujetarla…, y encaja a la perfección.

Después, Kika se pone el traje de ceremonia completo. El hocico un poco abierto, con los dientes peligrosamente afilados, le permite ver sin dificultad.

Está claro lo que tiene que hacer a continuación. Y también tiene claro que no se llevará ni un solo trocito de oro. ¡Faltaría más! Eso sería indigno, y Kika se sentiría como una ladrona.

Cuando minutos después camina majestuosamente a través de la catarata, es recibida con tremendos gritos de júbilo.

—¡Nuestro Rey Cocodrilo vuelve a estar entre nosotros!

—¡Por fin podremos bailar de nuevo nuestra danza sagrada!

—¡No perdamos tiempo! ¡Volvamos inmediatamente al poblado para compartir nuestra alegría con los demás!

Nadie pregunta por el oro, y lo cierto es que, de repente, a Kika también le parece algo sin importancia. Aquellas buenas gentes no conocen la ambición.

Con Kika en cabeza, el grupo emprende el fatigoso camino de regreso.

Butamque le sujeta la larga cola de cocodrilo, como si fuera la de un vestido de novia. Sin embargo, durante el trayecto, Kika oculta la valiosa corona bajo el traje. ¡La seguridad es la seguridad!

Muy alegres ante la perspectiva de celebrar la danza sagrada, han recorrido ya un buen trecho del camino cuando sucede lo peor…

¡Todos caen en una de las enormes trampas para cocodrilos del malvado cazador!

Estaba tan bien disimulada que les ha pasado completamente inadvertida.

La trampa se cierra de golpe… ¡Están atrapados!

Pálidos y temblorosos, no les queda más remedio que esperar la llegada del cazador…

Poco después, un hombre de sonrisa maligna se abre paso entre la espesura. Sus dientes blancos relucen en su oscuro rostro. Es muy alto y fuerte, y se planta ante ellos cruzado de brazos, en actitud desafiante.

—El oro o la vida… —sisea peligrosamente.

—Ya sabes que no tenemos más oro —responde Butamque, intentando dar a su voz un tono firme.

—Sin oro no habrá liberación.

—¡No puedes hacer eso! —ahora, en la voz de Butamque se percibe un ligero temblor.

—Por supuesto que puedo… —responde el cazador, y al instante da media vuelta y se aleja tranquilamente.

—¡Un momento! —grita Kika, agitando la corona por encima de su cabeza.

Hace rato que se ha quitado el traje del Rey Cocodrilo. La corona lanza destellos dorados, y en la mirada del cazador brilla la codicia.

Entonces estalla un pequeño tumulto. Los compañeros de Kika no están conformes con que entregue la corona al cazador. ¡Prefieren perder la vida a ceder la más valiosa de sus posesiones a ese bellaco!

Kika les da a entender con un gesto que sabe muy bien lo que hace, y que se encargará de las negociaciones.

Entre tanto, el cazador de cocodrilos ha vuelto a acercarse y contempla la deslumbrante joya como hipnotizado.

—¡Vamos, suéltala ya! —grita.

—Solo si cumples dos condiciones… —es la respuesta de Kika.

—¡Una mocosa poniéndome condiciones! Creo que no estáis en situación de exigir…

—replica el cazador con una taimada sonrisa.

Pero Kika ignora sus palabras y continúa hablando:

—Primero, nos liberarás en el acto. Y segundo, pondrás también en libertad a tus cocodrilos y prometerás no volver a cazar ninguno más.

—¿Y por qué iba a liberar a esos bichos asquerosos? Me proporcionan un buen dinero, por si no lo sabes...

—Es una crueldad torturar así a esos pobres animales. Además, ¡va contra la ley! Y otra cosa más: ¿nunca has pensado que el Rey Cocodrilo podría venir a vengarse de ti de una forma espantosa?

—¡Ohhh, el Rey Cocodrilo...! —ríe el cazador—. ¿Y quién cree en eso? Estos salvajes quizá, pero yo no. El Rey Cocodrilo... ¡Es para partirse de risa!

—¡Ella tiene razón! —interviene Butamque—. Llegará el día de la venganza del Rey Cocodrilo, que te hará pedazos y dispersará a los cuatro vientos tu carne putrefacta.

—Bueno, bueno… ¡Suelta la corona de una vez, que no tengo todo el día! —apremia a Kika el cazador.

—¿Cumplirás nuestras condiciones y nos pondrás en libertad junto a esas pobres criaturas? —pregunta ella.

—Lo haré. Y ahora…, ¡venga esa corona!

—¿Prometido?

—¡Prometido! ¡Dámela ya!

Kika le entrega la corona a través de los barrotes de la trampa. Y apenas el cazador la tiene entre sus zarpas, estalla en carcajadas y le escupe a la cara:

—¿Cómo puedes ser tan estúpida? ¿Soltar a esas fieras, dices? Primero venderé la corona, y luego a esas malas bestias. Eso me proporcionará tanta pasta, que podré irme de vacaciones por los siglos de los siglos con mis carísimas botas de piel de cocodrilo. ¡Y vosotros os consumiréis aquí, hasta que estéis tan delgados que quepáis entre los barrotes de mi trampa, ja, ja, ja!

Dicho esto, el cazador se interna en la selva. Durante un buen rato aún se escucha su risa perversa…

Kika ve las miradas cargadas de reproche que le dirigen sus compañeros de encierro. Butamque baja la vista. También él está decepcionado.

Todos guardan silencio.

Kika no confiaba en el cazador, ¡por supuesto que no! Pero ahora no tiene tiempo para explicar sus planes y se limita a decir:

—¡Quien ríe el último, ríe mejor!

Luego coge el traje del Rey Cocodrilo, estrecha a Yuiii contra ella, rebusca en su bolsillo hasta dar con la carta que ha cogido en la casa del cazador, la aprieta contra su pecho mientras murmura algo incomprensible para los demás…

¡Y se esfuma ante los asombrados ojos de sus compañeros!

Tiene que darse prisa si quiere que su plan dé resultado. Con el «Salto de la bruja» va a parar directamente a la casa del cazador. El malvado sujeto todavía no ha regresado, claro.

Sin pérdida de tiempo, Kika comienza a instalar una trampa justo delante de la puerta de entrada. Trabaja con gran rapidez, ya que la red y el mecanismo de resorte estaban preparados de antemano en la casa, aunque le cuesta lo suyo acercar rodando un tronco de árbol para sujetarlo como contrapeso al final de la larga cuerda.

¡Listo! Ahora solo le queda esparcir hojas y ramas sobre la red y la cuerda para que todo quede bien camuflado... ¡Porras! Aquel ingenio diabólico es muy difícil de ocultar. Pero ya no le queda tiempo para reunir más hojas y ramas. ¡Tiene que surtir efecto tal como está!

Antes de ponerse a cubierto detrás de la casa, Kika ata una cuerda al cerrojo de una jaula donde se encuentra encerrado un enorme cocodrilo. Desde su escondrijo sujetará el otro extremo de la cuerda...

Una vez allí, aún le queda el tiempo justo para coger un trozo de cebo del cobertizo y explicar con todo detalle a Yuiii el importante papel que va a tener en su plan.

Kika oye cómo los pasos del cazador se aproximan, y no puede evitar un susurro:

—Muy bien, miserable... ¡El momento de la venganza del Rey Cocodrilo ha llegado!

El cazador surge de la espesura a grandes zancadas. También él parece tener prisa. ¡Toda rapidez le parece poca para llegar al teléfono y convertir en dinero la valiosa corona! Ni siquiera se digna a mirar a las pobres criaturas encerradas en jaulas. Solo tiene ojos para la reluciente joya.

¡Ahora viene lo bueno! Kika contiene el aliento, de la emoción. ¿Caerá el cazador en su propia trampa?

Se oye un crujido y… ¡ZASSSS! La trampa se cierra, la cuerda silba a toda velocidad, el tronco de árbol se vuelca y rueda… ¡y el cazador patalea dentro de la red!

Completamente indefenso, empieza a lanzar maldiciones mientras trata de liberarse. Pero es en vano. La red es fuerte y sólida, ¡y la trampa es perfecta!

A continuación, Kika tira de la cuerda para descorrer el cerrojo de la jaula del enorme cocodrilo… y el temible reptil sale de su encierro con paso lento y pesado.

El cazador sigue maldiciendo a voz en grito y pataleando como un loco, así que no se da cuenta del peligro que le acecha. El cocodrilo gigante no tarda en descubrirlo, y con la boca abierta de par en par se arrastra hacia él. En cuanto llega debajo de la red, comienza a lanzar furiosos mordiscos hacia arriba, pero sus afiladísimos dientes se cierran en el vacío.

Es el momento
de que Kika
ponga en práctica
la última parte
de su plan...

Hace rato que se ha puesto el disfraz del
Rey Cocodrilo, y se acerca sigilosamente
a la trampa. La verdad es que el enorme
animal le da bastante respeto, así que se
mantiene a una prudente distancia de él.

Yuiii se ha deslizado dentro del disfraz de Kika, y ella le susurra unas palabras.

Como estaba acordado, Yuiii grita con voz de trueno:

—¡HA LLEGADO LA HORA DE LA VENGANZA!

Los gritos enfurecidos del cazador cesan de repente. ¡Acaba de ver nada menos que al mismísimo Rey Cocodrilo! El pánico hace que sus chillidos se conviertan en gemidos lastimeros… Y es que, además de al Rey Cocodrilo…, ¡acaba de descubrir al otro gran reptil lanzando dentelladas justo por debajo de él!

El cazador está perdido.

Kika musita de nuevo algo a Yuiii, que repite a gritos:

—¡EL REY COCODRILO ESTÁ A PUNTO DE TOMARSE CUMPLIDA VENGANZA!

El papagayo lo hace tan bien que Kika tiene la impresión de que le encanta su papel.

En su desesperación, el cazador lanza la corona fuera de la trampa.

—Toma, Rey Cocodrilo. ¡Coge tu corona, pero perdóname la vida! —suplica.

Kika recoge la joya rápidamente y hace berrear a Yuiii:

—YO NO COMO CORONAS. ¡¡TE QUIERO A TIIIII…!!

Estas palabras dan en el clavo, y el cazador empieza a gimotear como un bebé.

Kika no siente compasión por ese criminal. Sin embargo, ella no es una asesina…

Para distraer la atención del enorme cocodrilo que aguarda bajo la trampa, le arroja el trozo de cebo que cogió del cobertizo. El hambriento animal se abalanza sobre la carne y Kika aprovecha la ocasión para cortar la cuerda que sostiene la red.

El cazador cae al suelo como un fardo, se libera de la red a toda velocidad y, aterrorizado, echa a correr hacia el río… ¡con el gran cocodrilo siguiéndole a poca distancia!

Kika se apresura a liberar a los demás animales, que, instantes después, también

pisan los talones a su torturador. Algunos, sin embargo, están tan debilitados que apenas pueden dar un paso.

Entre tanto, el cazador ha alcanzado una canoa y la ha arrastrado hasta el río. Kika aún acierta a distinguirlo: ¡tras él nada una larga hilera de furiosos cocodrilos!

Tras lanzar un suspiro, abandona al cazador a su destino…

Cuando Kika libera de la trampa a sus amigos y les explica cómo el Rey Cocodrilo junto a Yuiii, el papagayo, han expulsado para siempre de la selva al cazador, el júbilo es enorme.

Butamque abraza a Kika, y su imitación del malvado cazador pataleando en la red arranca las carcajadas de todos.

Nadie pregunta a Kika cómo ha logrado desvanecerse en el aire ante sus narices, ya que, para ellos, está claro que las hechiceras tienen sus secretos…

Ya es hora de que Kika regrese a casa por arte de magia. Aunque dispone de toda la noche, quién sabe si a sus padres no se les ocurrirá llamar por teléfono a los de Mónica antes del desayuno…

Kika es incapaz de quedarse con la valiosa corona, ¡faltaría más!, pues sin ella, sus amigos jamás podrían entrar en la cueva dorada.

La alegría se interrumpe cuando comunica su decisión de abandonar la selva de inmediato. ¡El Rey Cocodrilo tiene que bailar con ellos la danza sagrada!

Kika se disculpa como puede, no sin antes proponer a Butamque como nuevo hechicero de la tribu. Todos aceptan la idea entre aplausos y chasquidos de lengua.

A Kika le resulta muy duro despedirse de Yuiii. ¡Han pasado tantas cosas juntos que le ha tomado muchísimo cariño!

El papagayo se arranca
una de las maravillosas
plumas de su cola
y se la ofrece
a Kika como regalo
de despedida. Ella
se alegra mucho,
pues así tendrá
un objeto para volver
algún día a la selva con el «Salto
de la bruja». ¡Y lo hará, eso seguro!

Kika no olvida hablar a solas con Butamque para revelarle el secreto del oráculo mágico. Al fin y al cabo, ahora él es hechicero… ¡y también Rey Cocodrilo!

Por fin, tras despedirse de todos, Kika saca el yoyó del bolsillo, lo aprieta contra su pecho y… desaparece mágicamente.

Aterriza en la habitación de Dani. Pero él no está en su cama…

¡Qué raro!

Kika se desliza sigilosamente hasta su cuarto. Y… ¿cómo no? ¡Allí la recibe su hermano pequeño!

—¿Qué haces aquí? —le suelta Dani—. ¿No volvías mañana temprano?

—¡Qué va! —dice Kika—. He vuelto hace mucho rato, pero estaba esperándote en tu habitación. Y ahora, dime: ¿qué porras estás haciendo en mi cuarto a estas horas?

—No podía dormirme porque estoy preocupado. He perdido mi yoyó, y se me ocurrió que a lo mejor tú lo tenías por aquí…

Kika le acaricia la cabeza con cariño. Le remuerde la conciencia haberle tomado «prestado» su juguete, y enseguida se le pasa el enfado por haberle pillado fisgando en su cuarto.

—Vaya, vaya, así que has perdido tu yoyó… ¿Te apetece que lo busquemos juntos?

—¡Pero no al estilo de Colón!, ¿eh? — protesta Dani.

Kika responde con una sonrisa:

—No, esta vez lo buscaremos… ¡al estilo de Kika!

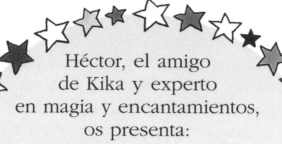

Héctor, el amigo
de Kika y experto
en magia y encantamientos,
os presenta:

El truco selvático n.º 1

«El teléfono silvestre»

Los habitantes de la selva desconocen la telefonía por satélite, y llaman a los aparatos «huesos parlantes». Pero ello no les impide comunicarse a largas distancias… ¡con el teléfono silvestre! Butamque le explicó a Kika su funcionamiento, y Kika se ha propuesto probarlo en casa de inmediato.

Con ayuda de Héctor, Kika se fabrica uno de estos teléfonos para dejar boquiabierto a su hermano Dani.

Se hace así: Kika coge dos vasos de papel que sobraron de su último cumpleaños, y también un cordón muy largo y fino (Butamque le dijo que esta clase de cordón se llama *bramante)*.

Con un lápiz afilado, Kika hace un agujero en la base de los vasos. Luego los decora con motivos selváticos, pasa el cordón por los agujeros y anuda los extremos.

Para hablar por teléfono, el cordón debe mantenerse bien tenso.

Y así funciona: Kika habla por uno de los vasos, y Dani se pega el otro a la oreja. ¡Puede entender todo lo que dice su hermana, a pesar de que ella hable en susurros y esté a varios metros de distancia!

Dani entiende todas las palabras, pero no su significado. *«Rey»…,* y algo así como *«la sombra a la piedra besará»…*

Dani piensa que su hermana está majareta y suspira:

—¡Típico de Kika!

El truco
selvático n.º 2

«El vuelo de Yuiii»

147

¿Quieres ver cómo vuela
el papagayo Yuiii?
Pues prepárate,
porque Kika y Héctor
tienen un truco
estupendo para ti.

Calca o copia
este modelo.
Luego recorta
los dos
semicírculos
y únelos
por el centro.

A continuación,
pega el círculo
que has
formado sobre
una cartulina
gruesa
y recórtalo
de nuevo.

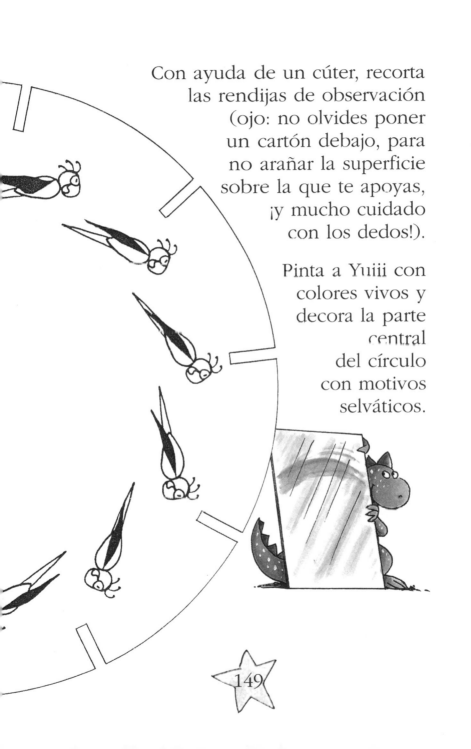

Con ayuda de un cúter, recorta las rendijas de observación (ojo: no olvides poner un cartón debajo, para no arañar la superficie sobre la que te apoyas, ¡y mucho cuidado con los dedos!).

Pinta a Yuiii con colores vivos y decora la parte central del círculo con motivos selváticos.

149

Pasa un alfiler por el centro del círculo y clávalo por detrás en un corcho, de manera que puedas girar el círculo con facilidad.

Si ahora te colocas frente a un espejo y haces girar el círculo mientras miras con los dos ojos a través de las rendijas, ¿qué es lo que ves?

¡Yuiii está volando… por arte de magia!

¡Hola!

Este que ves en la foto soy yo. Me llamo **Knister**, y soy el autor de las aventuras de Kika Superbruja.

Como siempre me ha gustado vuestro mundo, el de los chicos y chicas como tú, he escrito muchos libros y canciones para vosotros, y también obras de teatro.

Me encanta presentar programas de lectura en la tele, la radio, las bibliotecas, los teatros y las librerías de mi país (que, por cierto, es Alemania), y también disfruto mucho cuando realizo trabajos para chicos y chicas que son discapacitados psíquicos, o disléxicos, o ciegos..., todos ellos de tu misma edad.

Pero lo mejor de todo es cuando vosotros participáis conmigo en lo que hago, leyendo mis libros y compartiendo las aventuras de los personajes que los protagonizan.

En esta ocasión he querido presentaros a Kika Superbruja. Como es una bruja supersecreta, me costó bastante que me explicara sus trucos de magia, pero al final lo conseguí. Aunque..., no sé por qué, pero me da la impresión de que Kika Superbruja no me ha contado todos sus supersecretos... ¡y a lo mejor todavía le quedan unos cuantos hechizos guardados en la manga!

Índice

Trucos selváticos

Los libros de KNISTER

n.º 1

n.º 2

n.º 3

n.º 4

en **(B) Bruño**

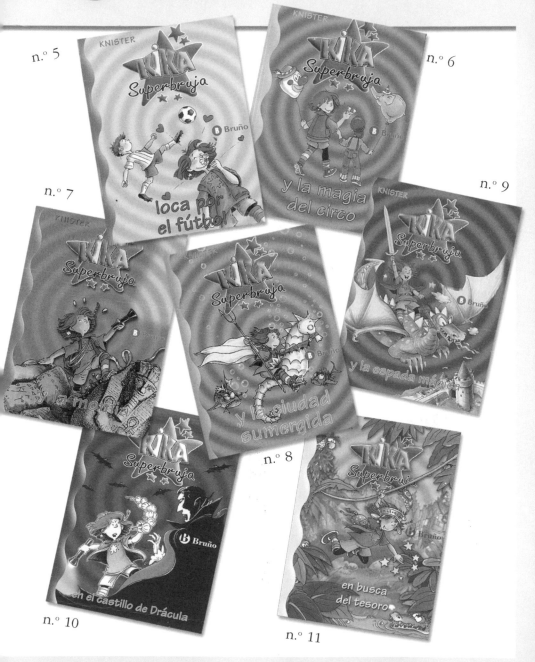

n.° 5

KNISTER

KIKA Superbruja

loca por el fútbol

Bruño

n.° 6

KNISTER

KIKA Superbruja

y la magia del circo

Bruño

n.° 7

KNISTER

KIKA Superbruja

la mo...

Bruño

KNISTER

KIKA Superbruja

y la ciudad sumergida

Bruño

n.° 9

KNISTER

KIKA Superbruja

y la espada mágica

Bruño

KIKA Superbruja

en el castillo de Drácula

Bruño

n.° 10

n.° 8

KIKA Superbruja

en busca del tesoro

Bruño

n.° 11

n.º 149

n.º 140

n.º 1

n.º 2

n.º 3

n.º 4